어반스케치 컬러링북

세계여러나라의 도시

새나 만듦

America

미국

United Kingdom

영국

France

프랑스

Italy

이틀리아

Egypt

이집트

India

인도

Istanbul

이스탄불

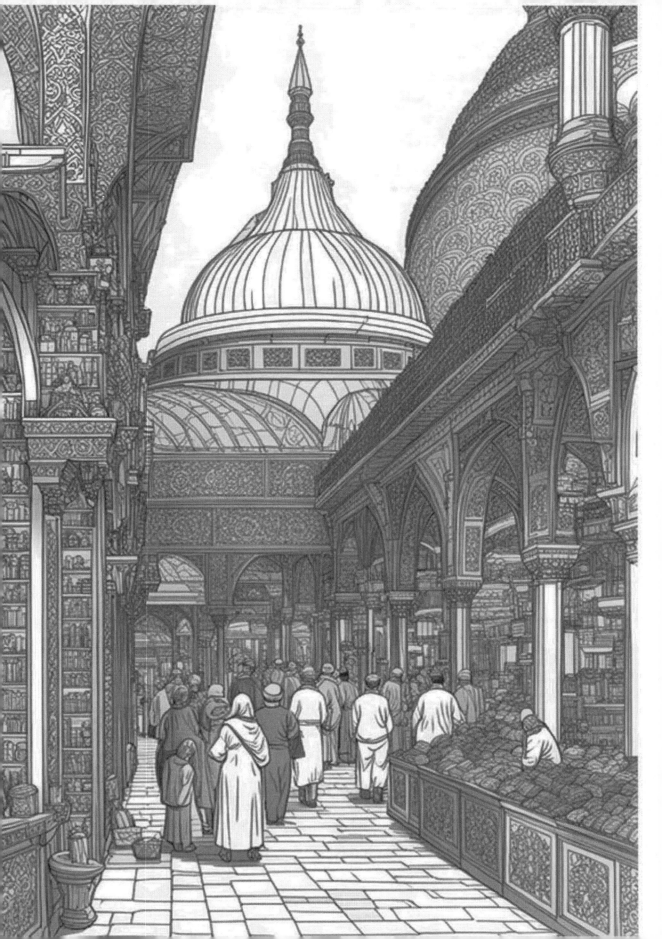

Brazil

브라질

Hong Kong

홍콩

Japan

일본

New Zealand

뉴질랜드

Spain

스페인

어반스케치 컬러링북
세계 여러 나라의 도시

발　행 | 2023년 12월 18일
저　자 | 새나
펴낸이 | 한건희
펴낸곳 | 주식회사 부크크
출판사등록 | 2014.07.15.(제2014-16호)
주　소 | 서울특별시 금천구 가산디지털1로 119 SK트윈타워 A동 305호
전　화 | 1670-8316
이메일 | info@bookk.co.kr

ISBN | 979-11-410-6056-5